우아하고픈 아들맘에게

-마녀가 된 아들맘이 여왕이 되는 마법-

저자 유지현

엄마성장, 엄마힐링, 가족관계,
인간관계 관한 컨텐츠 생산
저서<나 홀로 시대, 인간관계 레시피>

닉네임 케미맘
중앙대 청소년학과 졸업. 회사원
인스타 @chemi_gajok(케미가족)

우아하고픈 아들맘에게

발 행 | 2024년 5월 15일
저 자 | 유지현(케미맘)
펴낸이 | 한건희
펴낸곳 | 주식회사 부크크
출판사등록 | 2014.07.15.(제2014-16호)
주 소 | 서울특별시 금천구 가산디지털1로 119 SK트윈타워 A동 305호
전 화 | 1670-8316
이메일 | info@bookk.co.kr

ISBN | 979-11-410-8418-9

www.bookk.co.kr
ⓒ 유지현 2024

우아하고픈
아들맘에게

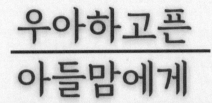

마녀가 된
아들맘이
여왕이 되는 마법

유지현(케미맘) 지음

사랑의 열병을 앓고 있는 아들맘의 공감지대
아들맘의 사랑과 전쟁, 서로에게 감동이 되기까지
인스타 인기가족 케미가족 케미맘의 리얼성장기

BOOKK

목 차

보통엄마의 특별한 시도

내가 경험한 일을 떠올리다 보면 생각의 단상들이 글거리로 떠오를 때가 많았다. 이런 '경험과 생각들을 책으로 쓰면 참 좋겠다'라고 현실성 없는 꿈을 꿔보기도 했다. 만약 내가 책을 쓴다면 '우아하고픈 아들맘'이라는 제목으로 쓸 거야! 라며, 한참 아이들 사춘기 때 힘든 마음을 사람들에게 웃으면서 내비친 적이 있다.

그래서였는지 우연한 기회에 현실 엄마로서 솔직한 경험을 담은 첫 책을 내게 되었다.

나는 아들 둘을 키우는 아들맘이다. 현재 큰아들은 대학생, 둘째 아들은 고등학생이다. 아들을 키우면서 혹독한 사춘기를 겪고 어른으로 성장한 아들맘의 경험과 성장을, 아들 사랑의 열병을 앓고 있는 엄마들과 나누고 싶었다.

아이들이 어릴 때는 현재의 모습으로도 충분히 엄마 역할을 잘할 수 있다. 그러나 아이들이 몸과 마음이 급격히 성장하는 사춘기에는 엄마는 아이들보다 먼저 생각을 변화하고 성장해야 어른으로서 아들의 사춘기를 도울 수 있다.

수많은 자녀교육책은 이론으로 설명하지만, 이 책은 엄마가 현실에서 경험하고 깨달은 생각, 관계 개선에 좋은 실천적인 방법들을 소중히 엮었다. 이 책을 통해 나처럼 아들을 키우면서 힘든 엄마들이 공감과 위로를 받고 아들과 좋은 관계를 맺어 아들의 건강한 독립을 돕는 존중 받는 엄마, 부모로 성장하길 바라는 마음이다.

엄마와 함께 성장하면서, 부족했던 엄마를 이해해 주고 어색하지만, 기꺼이 엄마와 대화하고 솔직하게 표현해 주었던 두 아들에게 항상 고맙고 감사하다. 그리고 내가 하는 모든 일을 응원하고 항상 지지해 준 남편에게 존경하는 마음을 표한다.

2024년 봄
케미맘 유지현

1장

나도 우아해지고 싶었다.

- 세 남자와 사는 여자
- 다시 아들을 키운다면
- 괜찮아요..

세 남자와 사는 여자

어느 SNS의 글을 읽고 남편과 내가 한참을 손뼉을 치며 크게 웃은 적이 있다. 아내를 행복하게 해주는 방법은 안아준다, 요리한다, 청소한다, 처가에 잘한다, 같이 쇼핑한다, 함께 여행을 간다, 어깨를 주물러 준다 등등… 끝도 없지만 남편을 행복하게 해주는 방법은 먹인다. 재운다. 가만히 둔다. 끝.

너무 단순한 남자와 감정이 복잡한 여자.

세 남자와 살면서 감정의 논리가 막 뒤엉켜 도저히 이해할 수 없는 순간들, 인정하기 어려운 상황들, 나는 화가 나서 어쩔 줄을 모르는데 그들은 너무 평온해서 정말 미치고 팔짝 뛰었던 시간….

'나는 왜 마녀가 되어갈까?'

가만히 서서 설거지할 때면 이런저런 생각을 많이 한다. 주로 아들 생각, 남편 생각, 사람 관계에 관한 생각, 앞날에 대한 생각이다.

현명한 아내가 되고 싶었고, 존경받는 엄마가 되고 싶었고, 멋진 여성이 되고 싶었다. 그리고 예쁘고 우아한 할머니가 되고 싶다.

70대 이후를 상상하며, 심지어는 집안에서 연한 파스텔톤으로 만든 부드럽고 우아한 생활한복 입고 피아노를 치며 흥얼거리고, 내가 돌보는 식물 앞에 앉아 따뜻한 차 한 잔 마시며 책도 읽고 대화도 하는 그런 일상을 꿈꾸기도 했다.

실제로 나는 이 꿈을 위해 40대에 피아노를 배워보겠다고 한참을 띵동거린 적도 있다. 물론 여러 가지 일상에 치여 피아노 치는 현실을 이루기엔 역부족

이라는 판단으로, 피아노 치는 대신 음악을 듣는 걸로 나의 노후 일상을 수정했다.^^

　이런 상상을 하던 내가 눈썹을 치켜뜨고, 화를 참지 못해 고래고래 소리를 지르는 내 목소리가 들릴 땐. 마녀가 되어버린 현실에 너무 실망하며 괴로워하기도 했다. 항상 약간의 미소를 띠고, 잘못을 훈계할 때는 조용하면서도 단호하게!, 감정은 부드럽게 유지하는 그런 우아한 엄마일 순 없을까?

　나는 왜 이렇게 화통을 지니고 사는 마녀가 되었는가. 돌아보다, 문득 '화성에서 온 남자 금성에서 온 여자'의 문구가 생각이 났다. 남녀관계의 교과서로 불리는, 세계적인 베스트셀러인 이 책은 인정과 신뢰를 받아야 행복한 남자, 공감과 관심을 받아야 행복한 여자의 본질적인 '다름'을 너무 잘 설명하고 있다.

세 남자와 살면서 겪은 감정의 고통은 나와 '다름'이라는 본질이 경험으로 증명된 것이었구나…. 그러나 우리가 '다름'을 인정할 수는 있지만 '다름'을 겪어내기는 참 어려운 일이다.

　　이젠 아들들도 성장하고, 남편과 결혼 23년 차가 되었다. 그동안 세 남자와 볶닥볶닥 해왔던 시간의 결과들을 긍정으로 잘 포장해 놓고 나니, 남자들은 원래 그래, 아들들은 다 그렇다니까 하며 이해할 수 없는 한숨을 쉬기보다는 '그래서 그런 거였구나', '어떻게 표현해야 좋을까'를 먼저 생각하게 되었다.

다시 아들을 키운다면

아들이 사춘기가 되면서 나도 사춘기를 심하게 겪었다.

엄마들은 아들의 사춘기를 대비하면서 '네가 사춘기가 되면 엄마는 갱년기야'라며 전쟁을 준비하는 농담을 하기도 한다. 진심으로 나는 '갱년기가 사춘기를 이길 거야'라는 승전의 기대를 하곤 했다.

그런 기대를 한데는, 초등학생까지는 아들이 엄마 말을 너무 잘 믿고 따르기 때문이다. 물론 엄마 성에는 안 찬다. 아이들의 성향에 따라 다를 수 있지만, 보통 남자아이가 여자아이보다는 생활면에서 챙길 게 많은 건 분명하다. 그래서 엄마는 아들에게 끊임없이 잔소리하며 간섭하고, 깔끔하게 정돈된 생활을 강요하기 일쑤다.

아들은 그런 엄마의 지적질을 모두 담으며 때론 잘못했다 말하고 때론 몰랐다고 말하고 때론 울기도 하면서 잘못을 잘 인정한다. 잘하든 못하든 엄마를 믿고 신뢰하며 엄마의 뜻에 따라 행동해 보려는 어린 아들의 마음을 지금에서야 뒤돌아보며 바라보게 된다.

세상에 태어나 낯선 삶들을 겪고 배워가면서, 신기하고 재밌기도 하고 한편으론 두렵기도 한 아이들의 세상살이. 엄마에게 보호받고자 하는 어린아이의 여리고 순수한 본능을 엄마가 너무 몰라주고, 훈육자의 역할만 해 오진 않았나 하는 미안함과 후회가 생기기도 한다.

그땐 옳다고 믿고 훈육했던 것들이 지금에서 보면

아이에게 상처가 됐겠다 싶은 기억들이 떠오를 때면, 괜스레 아들에게 다가가 안아주며 말을 건다.

"아들…. 미안했어."

뜬금없는 엄마의 사과에 어리둥절한 아들은

"응? 엄마 왜?",

"예전에 있잖아…" 하며 혹여나 남아 있을 아들의 상처를 지금이라도 닦아주고 싶다는 마음으로 진심 어린 사과를 하곤 한다.

첨엔 엄마의 낯선 사과에

"어…. 난 기억도 안 나는데." 하는 반응을 보이다가

"엄마가 미안하다고 하니 용서해 줄게",

"그래, 그때 엄마가 잘못했네" 하면서 웃어주는 아들.

기억할 수도 있고 잊힌 것도 있을 테지만, 미안한 마음에 글썽이는 엄마의 표정을 보며 안쓰러웠는지, "엄마 괜찮아. 나 다 잊었어~!" 하며 오히려 엄마를

위로해 주는 아들에게 참 감사했다.

이럴 땐, 내가 아들을 사랑하는 것보다 아들이 엄마를 더 사랑하고 있구나 싶었다. 이러면서 나는 나의 부족했던 후회들을 한 줄씩 지워 간다.

어른이지만 성숙하지 못한 엄마가 의욕만 앞서 했던 수많은 잘못으로 후회가 될 때면, 지금 다시 그때로 돌아간다면 나는 어떻게 할까? 하는 생각이 미칠 때 아들에게 물었다.

"아들. 너 다시 뱃속으로 들어가라, 엄마가 다시 잘 키워 줄게~" 하니,

"엄마, 나 낳을 때 또 많이 아플 텐데 괜찮겠어?" 하며 진심으로 엄마 걱정을 하는 순수한 우리의 아들들이다.

만약 다시 아들을 키우게 되더라도 나는 지금처럼 '몸과 마음이 건강한 사람'이 되길 간절히 희망할 것

이다. 그러나 경직된 사고와 세상의 비교를 걱정해서 어린 아들에게 재촉하지 않을 것이다. 나의 불안을 내려놓고, 좀 더 넓은 마음으로 존중하며 대하고 싶다.

다 괜찮아요..

엄마는 엄마만 아는 자식에 대한 미안함이 있다. 나만 엄마로서 부족한 것 같은 생각이 한번 꼬리를 물기 시작하면 사소한 것부터 모든 게 다 미안하다.

아이가 배 속에 있을 때 태교를 제대로 못 한 것 같아 미안하고, 유치원이나 초등학교 다닐 때는 워킹맘이라 엄마들과 교류가 많지 않아서, 아이가 외롭지 않았을까, 엄마들 정보에 빠르지 못해 혹시 내 아들만 좋은 기회를 얻지 못했을까, 내 감정을 주체하지 못해 아이에게 무섭게 화를 냈던 것도, 아이들 앞에서 아빠와 다퉈서 불안하게 했던 것도, 요리를 빨리 잘하지 못해 제때 맛난 거 못해 준 것도 미안하다.

특히, 자식은 부모의 뒷모습을 보고 자란다는 말은 너무 무섭기까지 했다.

수많은 자녀교육책에서 이렇게 하면 안 된다고 하는 것들을 다 한 것 같고, 아이가 세상의 평가대로 잘 안되는 거 같으면, 다 엄마 탓 같다. 이런 우울한 마음은 아들이 사춘기가 되면, 아들과 전쟁을 치르면서 극치에 달한다.

잘 키워보고 싶었는데…. 내 맘처럼 안 되는 아들. 이제껏 잘 키워보려고 했던 나만의 원칙과 노력에 대한 기대와는 전혀 다른 채점 결과를 얻은 듯한 기분이랄까.

다 괜찮다. 지금부터 어떻게 소통할지 생각하고 시도해 보는 게 더 중요하다.

남들은 다 흠 없이 완벽하게 사는 거 같다. 그리고

완벽해야 자녀들이 잘 자란다고 착각한다. 나는 용기 있게 '케미가족'이라는 타이틀로 인스타 생활을 하고 있지만 인스타 속의 행복한 모습만이 우리의 현실 가족 모습은 아니다.

내가 인스타에 가족생활을 올리는 것을 보면서, 저 가족은 아무 문제도 없이 매일 저렇게 사나 봐 라고 생각할 수도 있다. 어느 가족이든 자녀에 대한 남모르는 걱정거리는 다 있고, 어쩜 같은 문제들을 안고 사는지도 모른다. 그래서 남과 비교해서 엄마로서의 나를 비하할 필요가 없다.

'케미가족' 인스타는 가족 간에 긍정의 기운을 나누고 싶은 마음, 가족의 즐거운 추억을 기록하고 싶은 마음, 가족에 대한 나의 성찰을 기록하고 싶은 마음이 목적이기 때문에, 기억하고 나누고 싶은 좋은 이야기들을 올리는 것뿐이다.

우리는 자녀교육책에 나오는 이상적인 엄마의 역할을 완벽하게 할 수 없다. 완벽을 추구하다 오히려 역할에 경직될 수 있다. 책은 그 내용 뒤에 있는 따뜻한 엄마의 마음을 자연스럽게 배우고 표현하는 좋은 재료일 뿐이다.

나는 그저 아들을 어떻게 존중해야 하는지, 아들의 마음을 어떻게 공감해 주고 위로해 줄지, 엄마의 마음을 아들에게 어떻게 표현할지, 아들을 기운 나게 하는 건 무엇일지를 생각하고, 어색하더라도 시도해 보는 용기를 내 보기로 했다.

2장

아들맘이 어른 되기

- 엄마의 자존심 vs 아들의 자존감
- 생각해보니, 나의 불안감이었어.
- 엄마의 따뜻함이 주는 위로

엄마의 자존심 vs 아들의 자존감

부끄럽지만 나의 목소리는 담장을 넘은 적이 많다. 그래서 화가 나서 분노가 끓어오르기 시작하면, 나는 창문, 베란다 문부터 닫기 시작한다.

나만 그런 줄 알았는데, 조심스럽게 나와 같은 이 야기를 살짝 꺼내는 엄마들을 보면서 얼마나 안심이 되었는지. (웃음)

우리 가족은 시끌벅적한 가족이다.

아들들이 어릴 때는 서로 말하려고 순서를 기다리기도 하고, 본인의 얘기를 잘 안 듣는 거 같으면 서운하다고 화를 내기도 했다. 각자의 일상을 얘기하고, 보고 느낀 것들을 얘기하다 토론으로 번져 말다툼이 생기기도 한다.

좋은 감정이든 나쁜 감정이든 감정표현에 솔직하고, 의견을 서슴없이 얘기한다. 심지어 미안하다고 왜 말 안 하냐고 따져 묻기도 한다.

칭찬은 큰소리로 하고 좋은 일이 있으면 함께 야단법석을 떤다.

아이가 태어나면 엄마의 나이도 아이와 같은 나이로 세팅된다고 한다.

그래서 아이가 사춘기가 되면 엄마도 사춘기를 겪는다. 사춘기 아들이 정서적으로 독립을 시도하게 되면, 엄마는 예상치 못한 아들의 반응에 놀라고 어찌 대응할 바를 몰라 화부터 내게 된다. 엄마도 아들의 독립을 인정하고 존중하는 진짜 어른이 되기 위한 변화가 필요한 시기이다.

재밌는 에피소드가 생각이 났다. 어느 날 아들이

문을 열어놓고 방바닥에 엎드려 책을 읽고 있었는데, 내가 잔소리하기 시작했다. 참다못한 아들이 이래저래 항의하더니, 엎드려 있는 몸을 낑낑 뒤로하며 방문을 닫으면서, "그러니까 엄마가 그런 잔소리를 하는 건 잘못한 거야! 이제 전화 끊어!~". '이제 전화 끊어' 그 말에 서로 빵 터져서 웃어버린 적이 있다. 그 후부터는 화를 냈다가도 '이제 전화 끊어~'를 하게 되면 그 상황이 희화되어 웃음으로 끝나기도 했다.

서로 말다툼이 격렬해질 때가 있다. 그땐 영락없이 서로의 감정을 건드린 말 때문에 시작되어, 문제의 본질에서는 벗어나 감정싸움이 된 것이다.

엄마가 아들의 자존감을 건드리면, 아들은 엄마의 자존심을 건드린다.

중학생의 깐죽 표준어 "어쩌라고요", "네~ 네~", "그만하시라고요"로 시작하는 그 말은, 아들은 이제 그만하자는 표현이지만 엄마에게는 '감히!' 분노를 일으키는 전쟁의 서막이 된다. 이쯤부터는 돌고 도는 말다툼이 시작되는 것이다.

　아들과 팽팽한 줄다리기가 시작되면, 나는 엄마의 자존심에 밑줄을 긋고 용서할 수 없다는 듯 어떻게든 이겨야겠다는 태세로 전투를 벌이고 아빠는 아들의 자존감에 밑줄을 긋고, 어른인 엄마가 너그럽게 이해하기를 바라지만, 나의 손상된 자존심에 먼저 공감해 주지 않는 남편이 야속하기만 했다.

　아들이 태어났을 때 꼭 모유 수유만, 오직 천 기저귀만 사용하겠다고 한밤중에 몇 번을 일어나서 젖을 물리고 젖은 기저귀를 갈아주었다. 초보 엄마가 모유 수유가 서툴러서 젖몸살도 앓고, 잠을 못 자고 기저귀를 갈면서 힘들어서 울었던 적도 많다. 심지어는 아가 옷을 빨대 세탁기에 정수기 물을 부어대며 헹구기까지 했을 정도다. 그러다 산후풍을 심하게 앓으면서 너무 우울하고 힘든 시간도 있었다.

　한창 책 읽히기 붐이 일었을 때는 대량으로 책을

사서 쌓아놓고 열심히 책도 읽혔다. 창의교육을 기치로 생태유치원이 유행일 때는 정부 지원이 되는 유치원도 마다하고 비싼 값을 치러가며 생태유치원도 보냈다.

자녀교육책도 읽고 강의도 듣고 현실교육에 발맞춰서 괜찮은 학원을 수소문 해서 아들을 여기저기 학원으로 돌리기도 했다. 내 아들도 좋은 중학교, 고등학교 보내고 싶어서 엄마들과 모임도 하고 프로그램도 짜보며 열성 엄마 노릇도 해보았다.

나는 마음을 다해 정말 열심히 잘 키워보려 했는데….

존경받는 엄마에 대한 로망이 있던 내가, 엄마로서의 권위에 심각한 타격을 입고 어찌할 바를 몰라 허우적댈 때, 나는 혼자 있는 시간을 선택했다. 그것은 아들과의 사랑의 열병을 치료하는 시간이었다.

나의 추억 속에 장소로 훌쩍 떠나 걷기 여행을 하기도 하고, 나를 소중하게 생각해 주는 나의 언니를 만나 삶의 위로를 받기도 하고 했다. 하루 종일 서점에서 책을 읽으며 글로 마음을 정리하기도 하면서, 솔직하게 나의 마음과 얘기하는 시간을 갖기도 했다.

그러던 어느 날 김미경 강사님이 고등학교를 자퇴한 아들의 마음이 깊은 지하까지 떨어졌을 때, 엄마는 더 깊은 지하 바닥까지 마음 내려 아들을 위로해 주었던 본인의 사례를 듣고 얼마나 많이 울었는지 모른다.

권위적인 엄마의 찌그러진 자존심 지키느라 존중하고 성장을 도와주어야 할 어린 아들의 마음은 무시하고, 엄마만 상처받았다고 아이 같은 어른처럼 떼를 쓰고 있었구나….

엄마의 마음 나이는 아들의 나이와 같다고 하지만, 아들과 함께 겪는 엄마의 사춘기는 스스로 성장 하면서 진짜 어른을 배워야 한다. 그래야 아들의 사춘기를 도울 수 있다. 이를 위한 한 방법으로 엄마의 자존감을 세우는 시간이 꼭 필요하다. 그것은 남이 해 줄 수 없고 자신만의 방법을 찾아서 스스로 내면의 성장을 위한 노력을 해야 한다.

흔들리지 않고 피는 꽃은 없듯, 사춘기를 잘 겪어야 마음이 건강한 아들로 성장할 수 있다고 생각한다. 그 성장을 돕기 위해 엄마가 먼저 진짜 어른이 되어 아들이 안전하게 성장할 수 있는 환경을 만들어 줘야 한다.

사랑의 전쟁은 엄마와 아들의 성장 과정에서 어쩔 수 없이 일어난다. 이것은 오히려 성장을 위한 좋은 기회이다. 솔직한 표현이며 꼭 치료해야 할 감정의 부분일 수도 있다.

이 전쟁은 반드시 잘 화해하고 끝내야 평화를 맞이한다. 그래서 중요한 것은 전쟁 발생 자체에 집중하고 속 끓이는 것보다는 어떻게 화해 해야 이 전쟁이 성장의 좋은 기회가 될지에 집중하는 것이 더 중요하다.

생각해 보니, 나의 불안감이었어.

    우리 집 세 남자는 가장 관심 있고, 중요하다고 생각하는 것에만 선택 집중한다. 하지만 나는 생활의 모든 걸 중요하게 생각하고 다 잘하려고 노력했었다. 이런 엄마는 아들이 공부, 학교생활, 친구 관계, 생활 정리 등 모두 잘 해내길 바라는 마음으로 엄마의 시간표에 맞춰 아들에게 계속 확인하고 주문한다.

    그런데 중학생이 된 아들은 친구, 게임, 핸드폰 등 본인의 관심거리에만 집중하고, 엄마가 꼭 해야 한다고 생각하는 것은 늘 뒷전인 것 같다.

    결국 불안한 아들 엄마들끼리는 꼭 단톡방을 만드는 것이 국룰이다. 아들 가방도 뒤져서 프린트도 확인하고, 엄마들끼리 서로 뭐가 맞는지 확인하기도 한다. 그러고는 아들에게 재촉하기 시작한다.

"이거 해야 한다는 데 넌 몰랐던 거야? 어떻게 할 거야? 언제 할 거야? 빨리 같이하자!"라며 아들을 몰아붙인다. 결국 아들은 "몰라!, 모르는데 어쩌라고!" 하며 어깃장을 놓아버린다.

어느 날 지적질 잔소리를 하는 나에게 아들이 따지듯 물었다.

"엄마는 그렇게 완벽해?"

하는 말에 할 말을 잃은 적이 있다. 아들은 자신만의 때가 있는 것 같다. 엄마의 생각과 엄마의 계획에 맞춰 살아주는 것이 아닌데, 마치 내가 아들과 동화되어 아들의 삶을 대신 살고 있는 기분이었다.

나는 아들에게 진정 무엇을 원하고 있었던 걸까.

나는 1남 5녀 중 여섯째 막내딸로 태어났다.

새벽부터 일하느라고 바쁜 부모님과 우리들은 일찍부터 정서적·경제적으로 독립해서 각자 열심히 살았다. 요즘 시대는 자녀를 보호하고 마음을 챙기는 게 중요하다고 하지만, 나의 부모님과 6남매는 마음의 문제보다 의식주 해결과 자녀들의 빠른 경제적 독립이 중요했고, 당연히 그래야 한다고 생각했다.

고등학교를 졸업하고 바로 사회생활을 시작하면서 부모님으로부터 독립했다. 주경야독으로 늦게나마 대학교에 입학하여, 청소년학을 전공했다. 나의 이런 삶의 과정이 남과 비교했을 때 뭔가 온전하지 않은 것 같은 열등감 때문에, 이를 극복하기 위해 교육학, 심리학, 사회학을 아우르는 공부를 조기졸업을 할 정도로 더 열심히 했던 것 같다.

그러고 나서야 나는, 나의 청소년기를 25살이 되어서 극복할 수 있었다. 나의 어린 시절, 중·고등학교 시절, 가족과의 관계, 친구 관계 등 여태껏 나를 만든 모든 것들을 돌아보면서 나의 핵심 감정을 알게 되었고, 나의 열등감은 도전과 성취에 집중하면서 극복했다. 내 자존감을 높이기 위해 고단하게 노력했던 것 같다. 그래서인지 나는 스스로의 마음을 들여다보는 것을 참 중요하게 여긴다.

특히 상담심리학을 수강하면서 알게 된 교수님께 6개월간의 상담을 받으면서 가족에 대한 나의 열등감, 불안한 자존감을 들여다본 계기는 지금까지도 나의 내면 문제를 해결하는 데 도움을 주는 엄청난 내적 자산이다.

이렇게 사람의 심리에 관심이 많은 어른인 내가, 어린 아들의 말에 좀 더 너그럽게 어른스럽게 반응할 순 없을까? 무엇이 나의 분노 버튼을 자극하는 걸까? 고민하면서도 가장 편하고 쉽게, 나를 분노케 하는 주변만 탓해왔다. 남 탓만 하면, 내 맘대로 돼주지 않는 남 때문에 더 지치기만 할 뿐이었다.

나는 중학생 때 모든 게 굉장히 불안한 시절이 있었다. 이렇게 되면 어떡하지, 잘 안되면 어떡하지, 어떻게 하는 게 맞는 거지 하며 생각과 행동의 기준을 어떻게 하는 것인지 몰라서 고민인 적이 있었다. 너무 빠른 정서적 독립은 불안감을 느끼게 하고, 경직된 사고를 하게 되는 것 같다.

그래서 중학생 어린아이가 혼자 결정한 것은 옳고 그름을 원칙으로 판단하는 것이 가장 안전하다고 생각하고 그렇게 사고하기로 한 결정이었다. 원칙적 논리로 반박하면 누구도 날 함부로 할 수 없다는 스스로의 보호본능이었을까.

나의 이런 경직된 사고의 습관은 완벽해야 한다는 책임감으로 강박과 불안감을 증폭시켰던 것 같다. 모든 일에 완벽해지려 열심히 하고 아들도 열심히 키웠지만, 내 맘처럼 되지 않았을 때 자책감에 힘들어했던 것 같다.

적당한 불안감은 더 좋은 결과와 성취를 갖게 한다. 중요하다고 생각하는 것에 완벽해지려는 태도는 참 좋은 것이다. 그러나 우리가 모든 일에 완벽해야만 하는 것은 아니다. 특히 사람은 내 맘처럼 내 뜻대로 좌지우지할 수 있는 것도 아니고 그래서도 안 된다.

자녀의 청소년기까지는 정서적으로 잘 독립할 수 있도록 안정된 마음 바탕을 함께 만드는 것이 중요한데, 그러려면 엄마인 나의 불안감을 먼저 해결하는 것이 필요하다고 생각했다.

나의 이분법적인 경직된 사고, 엄마 역할에 완벽해지려는 책임감을 내려놓았을 때 불안감을 조절할 수 있었고, 좀 더 여유 있고 융통성 있게 아들과 대화할 수 있었던 것 같다.

화가 났을 때 내 마음을 평안하게 하는 것은, 말의 표현을 고민하면서 시작된다. 화를 내기 전에 하고 싶은 말을 어떻게 표현할까. 내 뜻을 솔직하게 말하면서도 아들이 잘 받아들일 수 있는 표현은 무엇일까. 말의 순서는 어떻게 해야 할까를 먼저 생각하다 보면, 이미 마음이 감정에서 벗어나져 있음을 알게 된다.

내가 힘들게 겪은 일은 내 아들은 겪지 않고 인생의 꽃길만 걸었으면 좋겠다는 마음에, 미리 조심하고 준비하도록 아들을 다그치지만, 생각해 보면 삶은 결국 스스로 경험해야 깨닫는 게 더 많았다.

넘어지면 어떤 마음으로 일어서야 하는지, 스스로 행복한 삶의 방향은 어떤 것인지 고민하게 될 때, 지혜를 보탤 수 있는 부모가 되는 것에 더 집중하고 싶다.

엄마의 따뜻함이 주는 위로

아들이 중학생이 되면서, 학교생활에 대한 엄마의 긴장감은 높아지는데, 아들은 엄마와는 반대로 잘 짜인 일상에서 벗어나려고 시도한다.

엄마 몰래 피시방에도 가고, 허락되지 않은 핸드폰을 몰래 보며 잠을 안 자기도 한다. 그리고 뭘 물어보면 모른다는 말로 일관하기도 한다. 정말 몰라서가 아니라 질문을 회피하려고 하는 것 같았다.

그래서 어느 날 아들에게 진지하게 물어봤다.

엄마는 중. 고등학교 시절 학업이 너무 중요하다고 생각한다. 할 것도 많아지니 불안해서 너에게 자꾸 확인하고 재촉하게 되는데, 너의 삶에 대한 태도는 엄마 생각과는 전혀 다른 것 같아서 걱정이라고.

"엄마. 학교에서는 어려서부터 지금껏 자꾸 꿈이 뭐냐고 묻고, 뭐가 되고 싶은지 적으라고 하는데 난 정말 모르겠어. 내가 정하면 중학교 때부터 고등학교까지 계속 그 방향으로 공부해야 대학에 간다는데…. 난 정말 뭘 해야 내가 잘될 수 있는지도 모르겠고, 내가 뭘 정하면 꼭 그게 되어야 하는데. 그게 나한테 맞는지, 내가 잘할 수 있는 건지 너무 헷갈려."

나도 대학입시제도에 맞춰 어려서부터 꿈이라는 표현으로 직업을 강요하는 학교 교육에 문제점을 갖고 있었다. 나 역시 아직도 나의 적성이 뭔지 찾고 있는데, 아이들에게 직업을 정하라고 강요하기까지 하는 것처럼 느껴지는 현실을 비토한 적이 있다.

첨엔 깨닫게 해주려고 했던 질문인데, 아들의 고민

을 들으니 오히려 삶에 대한 책임감을 느끼고 있는 것 같아 기특하기도 했다.

거창한 꿈을 강요하는 교육과 아들이 느끼는 실현 가능성에 대한 책임감. 그 책임감 때문에 더 위축되었다는 솔직한 표현에 공감할 수밖에 없었다.

그래서 모른다는 말밖에 할 수 없었구나. 어린 마음에 막연한 꿈을 목표로 선택하도록 내가 강요하고 있었구나.

그러나 현실을 사는 아들에게 미래 목표에 대해 고민만 하게 할 수는 없었다.

"정해진 삶은 없어. 세상은 어떻게 바뀔지 모르고, 너도 어떤 사람이 될지 아직 아무도 몰라. 다만, 네가 지금 하는 공부는 대학을 위해서만 준비하는 게 아니야. 세상에 나갈 기본 준비를 하는 것이라고 생각한다. 네가 지금 잘 겪어야 더 나아갈 수 있는 과정이야.

성적을 높여야 한다고 생각하지 말고, 자세와 습관을 익힌다고 생각하자. 지금은 한 단계씩 넘어보는 열심과 긴장감도 스스로 배워보는 시기야.”

아들에게 엄마의 사랑이 필요한 건 당연하다지만, 엄마도 아들의 사랑을 표현 받고 싶다. 그래서 나는 잔뜩 기대하면서 아들은 엄마의 존재를 어떻게 생각할지 듣고 싶었다.

“아들! 엄마 하면 딱 생각나는 걸 말해봐.” 했더니, 1초도 안 되어 응답했다.

“밥!”

‘잉?’ 속으로 당황한 나는

“밥? 야! 엄마 생각하면 밥이 젤 먼저 떠오른다고?” 하며 순간 서운하면서도 재밌었다.

‘그 말이 맞네.’ 하며 나름 여러 가지 의미를 부여해보니 오히려 기분이 좋아지기까지 했다.

아들에게 밥은 정말 중요하다. 중학교를 고를 때도 급식 잘 나오는 학교를 선택했다. 왜 그런지는 잘 모르겠지만, 아들은 정말로 배가 자주 고픈가 보다.

아들이 엄마를 표현한 '밥'은 배고픔을 해결하는 밥만을 의미하진 않을 것이다. 자신을 위해 따뜻하게 차린 엄마의 정성과 마음을 알아주는 표현이었겠지.

나도 결혼하고 가장 생각났던 게 엄마가 날 위해 차려줬던 따뜻한 밥이었다. 자취생활을 하던 나는 방학이 되면 지방에 계시는 부모님 댁에 내려가서 매일 잠만 잤다. 엄마는 밥때가 되면 밖에서 일 보시다가도, 오랜만에 쉬러 온 다 큰딸 밥 차려주려고 들어오셨다.

천천히 밥을 먹으면, 국이 식어서 따뜻하게 못 먹을까 봐 지키고 앉아 있다가 뜨겁게 끓인 국물을 계속 리필 주시기도 했다. 생밤, 쪄놓은 밤 둘 다 까먹기는 불편해서 안 먹고 있으면, 누워있는 내 옆에 앉아 계속 까서 입에 넣어 주시던 생각이 난다. 늦둥이

막내여서 더 애틋한 노부모의 마음이었을지도.

어쨌든 나도 이렇게 먹는 것으로 느낀 사랑을 소중히 기억하는 것처럼 아들도 아마 그런 기억이 될 듯도 싶다. 사랑의 표현도 배운다고 나도 아들에게 엄마처럼 똑같이 하는 나를 발견 한다.

어느 날 아들이 학교에서 오자마자 나를 안으며 오랫동안 펑펑 운 적이 있다. 목소리를 껄떡껄떡하면서 얘기하는데, 어린 마음을 느끼니 나도 마음이 함께 아팠다.

"너무 속상했겠다…. 괜찮아. 그건 알고 보면 중요한 게 아니야. 괜찮아."

한참을 울더니, 금방 먹고 웃으며 언제 그랬냐는 듯 회복하는 아들에게 내가 더 감사했다.

때론 엄마의 사랑을 몰라주고, 엄마의 사랑에 화를 내기도 하는 그놈이지만, 그러나 아들은 안다.

집에 돌아올 때…. 기쁜 소식을 가지고 벅찬 마음으로 달려올 때…. 터벅터벅 고개를 숙이고 걸어올 때….
"아들 왔니~" 하는 반가운 엄마의 목소리를 가장 먼저 듣고 싶어 한다는 걸.

3장

서로에게 감동이 되는
가족이 되기까지

가족은 마음바탕 그리고 엄마의 자리

가족은 공기 같아서 중요성을 깨닫지 못하고 살았었다.

한때 일과 역할 중심으로 살았던 나는, 가족 외에 사회적 인간관계가 더 중요하다고 생각했었다. 어리석게도 사회적 인간관계가 내 가족 같을 것이라고 착각하고 살았던 때도 있다. 인간관계에도 유효기간이 있고, 나와 이해관계가 맞지 않으면 멀어지는 것이 당연지사다.

삶의 원동력은 가족에게서 나온다. 동기부여가 가장 많이 되는 것도 가족이다. 가족과 함께 웃고 즐긴 행복한 시간과 추억은 삶의 활력소이다.

좋은 일에 진심으로 기뻐하는 것도 가족뿐이다. 힘든 일이 있어도 가족에게 위로받는 것이 가장 안전하다. 가족 관계가 좋으면 외로움이 없어지고 사회생활도 더 당당해질 수 있다.

그래서 가족 관계를 회복하는 것이 먼저다. 그리고 나서야 사회적인 인간관계에 집착하지 않게 되고, 오히려 평안하고 더 좋은 사람들을 만나게 되는 선순환이 되는 것 같다.

정말 서툴고, 무지했지만 나만의 열정은 가득했던 엄마의 자리. 훈육만 잘해야 하는 줄 알았던 때도 있고, 능력 있는 엄마가 돼야 하는 줄만 알았던 때도 있다.

아들은 어떤 엄마를 원할까.

아들을 키우면서 알게 된 나만의 경험통계치를 내보자면, 엄마가 하이톤으로 지적하는 소리를 가장 싫

어했다. 그리고 말의 내용보다는 말투와 표정에 아이들은 예민하게 반응을 결정했다.

아이들에게는 화 버튼, 회피 버튼, 인정 버튼, 웃음 버튼이 있다.

엄마가 어떻게 말을 시작하냐에 따라서 화를 낼 것인지. 조용히 입을 닫고 끝날 때까지 기다릴 것인지. 다 인정하고 엄마가 원하는 행동을 할 것인지. 웃음으로 알았다고 하며 오히려 엄마를 안심시킬 것인지. 요 4가지 버튼은, 한 가지만 누를 수도 있고, 잔소리의 길이에 따라 강도가 올라갈 수도 있다.

길게 큰소리로 지적질 NO, 온화한 목소리로 짧게 YES. 그러나 한 번에 행동이 변하진 않는다. 가르치려고 하기보다는, 걱정된다. 엄마도 힘들다. 이러이러한 상황이 불안하다 등의 공감을 원하는 부탁이 서로에게 더 좋았던 것 같다.

가족은 아이들의 '마음바탕'이라고 표현하고 싶다.

삶의 태도, 인간관계도 모두 가족에게서 먼저 배운다. 그래서 나는 아들에게 평생 좋은 친구가 되는 가족을 선물하고 싶었다.

내 '마음바탕'의 밑그림은 '항상 밝게 웃었던 엄마의 얼굴', '말을 예쁘게 해야지' 그 충고 한마디, 내가 철없이 거침없이 뱉어내는 주장에 언제나 '그래 네 말이 맞네. 우리 딸은 어떻게 그런 생각도 했어.' 하는 칭찬. 이것이 내 마음바탕에 지워지지 않고 언제나 나를 긍정으로 이끈 밑그림이다.

남편은, 종교 생활을 하지 않은 어머님이지만, 새벽마다 초를 켜고, 물을 떠 놓고 자식을 위해 기도했던 어머니의 모습을 늘 마음속에 담고 있다고 했다. 그리고 항상 사소한 것도 크게 칭찬해 주고, 뭐든 잘될 테니 해보라고 응원해 주셨던 아버지 모습 때문에 언제나 용기를 낼 수 있었다고 한다.

녹녹지 않은 세상을 살아갈 아들에게 엄마가 무엇을 해결해 줄 수는 없지만, 마음바탕에 그려진 추억의 가족 그림은 세상을 살아가는 데 큰 힘이 되었으면 좋겠다는 간절한 마음이다.

격렬한 전쟁과 화해

엄마 말이 전부인 줄 알고 순종했던 아들이 갑작스럽게 반기를 들기 시작할 때, '엄마는 왜 말을 그렇게 해!'라는 이 경고장의 의미를 빨리 캐치해야 한다.

'나를 아무것도 모르는 어린아이처럼 함부로 대하지 않았으면 좋겠어!' 라는 표현이다.

처음엔 당황스러운 마음에 이 경고장이 무례하게 여겨져서 같이 목소리를 높이기도 했지만, 아들의 경고장은 자신에게 무례한 대상에 대한 너무나 당연한 표현이다. 세상에 홀로서기를 준비하는 아들에게는 꼭 필요한 과정이기도 하다.

가장 편한 관계도 가족이지만 가장 무례할 수 있는 관계도 가족이다. 나도 모르게 자식을 나의 소유물로 여기고 아들이 엄마의 결정대로 따라야 안전하게 잘 자랄 수 있을 거라는 착각과 불안감에 아들을 무례하게 재촉하기도 했다. 그러나 엄마의 세상 틀은 아들의 세상과는 다르다.

엄마가 자식을 위한 고심과 결정들을 절대 비난하거나 비난받고 싶지 않다.

부모는 자식이 부모로부터 모든 독립을 하더라도 자식이 살면서 부딪히는 문제들에 대해서 함께 걱정하고 잘 이겨낼 수 있도록 무엇을 도울 수 있는지 조용히 고심할 것이다.

중요한 것은 이제 보호의 대상만이었던 아들이 건강하게 독립할 수 있으려면, 엄마가 어떤 방향으로 고심하고 태도를 결정해야 하는지에 대한 변화가 필요한 때를 알아차려야 한다.

서로 감정싸움의 단계로 들어가면 말다툼은 돌고 돌고 엄마의 화난 목소리는 점점 커진다. 나는 당장에 해결되지 않는 이 좋지 않은 기분 때문에 화나고, 본질은 어디 가고 감정싸움만 하게 된 상황을, 말대꾸를 시작한 아들 탓으로만 돌리기도 했다.

　한바탕 전쟁을 치르면 아들과 엄마는 다시 얼굴을 마주보기가 어렵다. 마음을 열 준비가 되어있어도 다가가서 먼저 말을 시작하는 건 참 어색하다. 먼저 사과하는 것이 밑지는 것 같을 때도 있고, '사과를 안 받아 주면 어떻게 하지' 하는 불안감도 있다.

　아들은 동등한 인격체로 존중받기만을 바라는데 엄마는 아들이 어른처럼 대해 달라는 줄 착각한다.
　엄마한테 꼬박꼬박 말대꾸도 하고 자신을 간섭하지 말고 내버려 두라고 하니, 아들이 스스로 어른처럼 생각하고 행동할 수 있을 줄 안다.

그러나 덩치는 커졌어도 아직 마음은 커가고 있는 어린아이다. 두렵지만 용기도 내보고 반응도 살펴보면서 세상을 배워가는 어린아이다. 용기 있게 저질러는 놨는데 어떻게 해결해야 할지 무서울 수 있다. 엄마한테 소리는 질러놨는데 수습을 어찌해야 할지 쩔쩔매고 있을지도 모른다.

그런데 엄마는 아들이 먼저 어른인 엄마에게 예의 없게 했으니, 그 사과가 먼저라고 생각한다.

아들과의 소통에 어려움을 느껴 속상해할 때, 나이 많은 나의 언니가 반문했다.

"아들이 엄마를 먼저 이해해 줘야 하는 거니?"

누가 어른인가를 깨닫게 하는 강렬한 한마디였다.

어색하게 들어오는 아들에게 먼저 말을 건넸다.

"밥은 먹었니? 배고프겠다 따뜻할 때 얼른 먹어"

"엄마가 너의 마음은 몰라주고 먼저 함부로 지적하

듯 말해서 기분이 나빴을 거 같다. 미안했다. 네가 화를 내는 건 당연해. 그런데 표현이 너무 과해서 엄마도 당황스러웠어. 너도 엄마에게 '엄마가 그렇게 말하니까 내가 기분이 나쁘다'라고 예의 있게 표현해 주면 좋겠어."

사과를 내가 먼저 시작하고 아들도 함께 사과 표현을 하면 바로 언제 그랬냐는 듯, 마치 이 시간이 얼른 오길 기다렸다는 듯 다시 깔깔거리는 일상으로 돌아간다. 아빠는 늘 이런 상황을 볼 때마다 조금 전까지만 해도 둘도 없는 원수처럼 퍼부어 대더니, 이젠 세상에 아들밖에 없는 사람 같다며 진짜 이상한 사람이라고 놀려댄다.

아들이 먼저 사과하는 때도 있다. 그럴 땐 먼저 용기를 내주어서 정말 고맙다고 표현을 해준다. 먼저 사과하는 어색함과 불안감을 이겨낸 아들의 용기를 고마운 마음으로 응원하면, 표현이 자유로워진다.

대학생이 되어 자취하는 아들이 술 한잔 먹은 김에 나에게 전화를 했다.

"엄마 내가 오늘 좋은 사람들하고 기분 좋게 한잔 했어. 갑자기 엄마 생각이 나더라. 내가 예전에 엄마한테 함부로 말한 적이 많았던 거 같아. 엄마가 아주 힘들었을 것 같아. 엄마 많이 미안해. 내가 몰랐었어."

한번 일어났던 일은 또 일어날 수 있다. 똑같은 화해를 하기도 한다. 실망할 것이 아니다. 잘 화해하는 것을 반복으로 배워가고 서로 진심을 더 알아 가는 과정이다. 그것은 마음에 감동으로 남는다.

반복된 화해를 통해 서로 존중하는 마음과 표현의 방식을 배우게 되었다. 엄마의 분노 버튼 아들의 분노 버튼을 인지하고 서로 조심하게 되고, 혹여 실수하더라도 빨리 사과할 수 있다. 그러면서 서로 우리만의 소통의 방식을 만들어 간다.

엄마는 내 편이야.

아들을 키우는 엄마는 전사가 된다는 말이 있다.

챗GPT에 이 의미를 물어봤더니, '어떤 상황에서도 자식을 지키기 위해 힘들게 노력하는 엄마의 헌신과 힘든 일에도 견디며 자녀를 돌보는 엄마의 용기를 강조하는 표현입니다.'라고 했다.

뭐 비단 아들 엄마뿐이랴. "엄마는 전사가 된다"라는 표현이 더 맞겠다.

아들 엄마는, 엄마와는 다른 성별의 아들과 대립하면서 더 강하게 되기도 하고, 상대적으로 거친 아들의 환경에서 아들을 위해 더 용기를 내야 할 때도 있다. 일단 목소리부터 커진다. (웃음) 그래서 그런 전사라는 말이 더 어울려 보이기도 하나 보다.

나는 엄마가 꼭 함께 해결해 주어야 하는 감정이 '억울한 감정'이라고 생각한다. 해결되지 못한 억울한 감정은 아주 오래간다.

나의 경험이 그랬다. 질투하는 친구의 거짓된 고자질, 선생님의 부당한 훈계, 예의상 모멸감을 참았던 사회생활. 어려서, 권력이 없어서 어찌할 바를 몰라서 참고 지나갔던 일은 체증으로 오래도록 남아서, 두고 두고 한 번씩 튀어나와 나를 괴롭히는 가시 같기도 했다. 되돌려 해결할 수 없는 상황을 인정하고 승화시키는 데까지는 시간이 오래 걸렸다.

그래서 나는 아이들이 어렸을 때, 사소한 것에서부터도 공평하게 하려고 노력했다. 물건을 나눌 때나 다툼이 생길 때, 또 관심을 줄 때도 상대적으로 부족

함을 느끼지 않도록 배려했다. 혹여 불공평하다고 할 때는 다시 의견을 조정하고 불공평하다고 느낀 마음을 풀어주었다. 그래서인지 형제간에 불공평으로 인한 다툼이나 서운함을 호소한 적은 없었던 것 같다.

학교생활에서도 선생님의 부당한 처우나 친구 관계에서 생긴 문제에 대해서는 조심스럽게 선생님과 상의해서 아이가 억울한 마음을 남기지 않도록 도움을 요청하기도 했다. 때론 아들이 억울하다고 강하게 주장하는 것에 대해서는 직면해서 해결할 수 있도록 함께하기도 했다.

나의 개인적인 특성일 수도 있으나, 사소한 것은 너그럽게 지나가는 마음도 배워야 하지만, 내 맘에 억울함이 남지 않도록 좋은 방법을 계속 시도해 보는 것은 스스로를 사랑하고 지키는 아주 중요한 방법이라고 생각한다. 청소년기까지는 부모가 그 과정을 함께 해주어야 아이들이 안정감 속에서 자신의 감정 표현도 연습해 보고 때와 장소에 맞는 적절한 소통의 방법을 배우게 된다.

엄마는 매일 아들을 위해 무언가를 하고 있으니, 엄마만 아들을 사랑한다고 생각하기도 한다. 때론 시크하게 답하고 무심한 아들들을 보면, 엄마만 짝사랑하고 있는 것 같다. 그러나 아들도 엄마의 편이 되어 위로해 주기도 한다.

큰아들과 다퉈 속상해하면 둘째 아들이 옆에 있어 주고, 둘째 아들과 다퉈 속상해하면 큰아들이 옆에 있어 준다.

회사에서 좋지 않은 기분으로 생각이 많은 채로 집에 들어온 적이 있다. 평상시보다 낮은 톤의 목소리가 신경이 쓰였는지, 아들 둘이 들어와서는 '엄마 기분이 안 좋아? 회사에서 무슨 일이 있었어?' 하며 묻기 시작했다.

'별일 없었는데 왜?', '이상하다… 목소리도 안 좋은데…. 우리한테 말해봐 우리가 들어 줄게!'

어린아이들이었지만 엄마의 편이 되어주겠다는 힘이 되는 말 한마디로 하루의 감정 피로가 싹 가신 순간이었다.

토요일 오전 근무를 하고, 피곤해서 집에 들어와 밥도 안 먹고 쉬고 있는데, 아들이 햄과 김치를 볶은 반찬을 만들어서 베드트레이에 상을 차려서 들어왔다. "엄마 밥 먹고 쉬어." 어린 정성에 얼마나 감동했는지….

무뚝뚝한 아들 같지만, 아들들은 의외로 스킨쉽을 좋아한다. 아들과 걸어갈 때면 으레 손을 잡고 팔짱을 끼고 걷는다. 덩치는 산만 해도 자주 엄마를 불러 "안아주세요" 하며 팔을 벌린다.

누워있는 아빠에게 다가와 "아빠~" 하며 옆에 누워 아빠와 서로 안기기도 한다. 떨어져 있어야 할 때 혼자 여행을 갈 때, 올 때, 아들이 먼저 안아주며 인사

한다.

아들들도 내심 자연스럽게 표현하고 싶은데, 어색해서 표현이 어려울 수 있다. 엄마. 아빠가 먼저 많이 표현해 주면 자연스러워진다. 첨엔 핀잔을 주기도 하면서도 못 이기는 척 표현해 주기도 한다.

사랑의 표현은 어쨌든 좋은 거다. 말없이 안아주기만 해도 위로가 되고, 말없이 손만 잡고 걸어도 든든하다.

내가 어떤 모습이든 내 편이 있다는 그 자체로 위로가 된다. 그래서 가족 관계는 참 중요하다.

대장 엄마와 쫄짜 아빠

"내가 당신 쫄짜지 뭐"

남편의 이 말에 나는 으쓱 기분이 좋아지는 이유는 뭘까. 여자들은 말이라도 져 주는 남편을 좋아한다. 어쩌다 설거지 한번하고 쫄짜 노릇 했다고 한껏 생색을 내기도 하지만 아내에게 마음만은 진짜 쫄짜처럼 잘해주고 싶다는 존중하는 마음이라는 걸 나는 알고 있다.

쫄짜임를 자처하는 남편이지만 내 핸드폰에는 20년째 '존경하는 신랑'으로 표기 되어있다. 이참에 남편에게도 물어봤더니 '아내 기쁨 사랑 축복'으로 저장 되어 있단다. 별거 아닌 것 같은 이런 표기들은 상대방에 대한 마음을 이미지화하는 것 같다.

부부가 신혼 때부터 해서 부모가 되어 가정을 꾸려 나가는 동안 얼마나 많은 사건을 겪고 다투기도 하면서 살아왔는지. 자녀와 화해하는 것처럼 부부 사이도 다툼 뒤엔 어떻게 화해하는지가 중요하다.

흔히 희화되는 예처럼 남녀가 다투고 나면 남자는 그냥 미안하다는 말로 모든 걸 끝내려고 하는데 여자는 뭐가 미안한지 구체적으로 말하라고 되묻는다. 사람들은 이걸 보고 그렇지, 여자가 좀 깐깐하지 하면서 재밌게 웃어넘긴다.

사과를 먼저 했는데, 끝까지 따져서 문제를 밝히고야 마는 여자가 정말 너그럽지 못한 걸까?

화해는 구체적으로 표현하고 서로 공감을 받았다고 느끼면 다음에 같은 일이 발생해도 너그러울 수 있다. 그렇지 않으면 켜켜이 쌓은 해묵은 마음의 문제가 된다. 함께 오랫동안 행복해지려면 나는 여자의 화해 방식이 옳다고 생각한다. 특히 여자는 제대로 화해해야 마음이 풀린다.

그런데 정말로 남자는 구체적으로 뭘 잘못했는지 모르겠는데 화해는 하고 싶을 때가 많은 것 같다. 그럴 땐 남자는 여자가 뭐 때문에 화가 났었는지 예의 있게 질문하고 들어 주어야 한다.

좀 웃기기도 하지만 나는 남편이 구체적으로 뭘 잘못했는지 진짜 모르겠다고 하면 잘 들어보라고 주문하고 조목조목 알려주고 공감을 받아내고야 만다.

가족에게 엄마의 역할은 심리적으로 정말 중요하다. 엄마가 웃음으로 가족을 경영할 수 있도록 아빠가 도와주어야 한다. 엄마가 행복해야 가족이 행복하다. 그래야 아빠도 아내에겐 쫄짜지만 가족에겐 진짜 대장이 될 수 있다.

남편은 가끔 내게 말한다.

'우리가 얼마나 아이들과 함께 할 수 있을까?'

아가일 땐 그저 예쁘고 보호하고 키워야 한다는 책임감으로 시간이 훌쩍 지나갔고, 함께 사춘기를 겪어내며 이제야 조금씩 소통이 자유로워졌는데 이젠 정서적 물리적으로 독립의 시기가 다가왔다.

아들을 잘 독립시키는 게 부모의 가장 큰 숙제라는데, 잘했든 못했든 남편과 내가 함께 좌충우돌하고 불안한 마음에 걱정도 하면서 어떻게 해줘야 할까를 함께 고민했던 시간에 감사할 따름이다.

지금 깨닫는 걸 그때 알았더라면 하는 안타까움도 당연히 있지만 이젠 함께 기다림을 배워야 할 것 같다. 주체로서 잘 살기를 바라는 기도하는 마음으로 기다리고, 엄마 아빠도 각자 성장하는 삶에 집중하면서 아들들과 함께하는 러닝메이트가 되어야겠다고 늘 다짐해 본다.

4장

케미가족의
즐거운 가족생활 TIP

- 내 가족의 이름표
- 추억의 기록은 더 큰 사랑을 만든다.
- 유머와 웃음으로 가족 경영하기
- 우리끼리만 아는 가족문화
- 생기있는 엄마가 되자

내 가족의 이름표

나는 '케미가족' 이라는 이름으로 인스타 생활을 하고 있다. 세 남자와 사는 아들맘 '케미맘'으로 통한다. 아들맘의 즐거운 가족생활과 가족에 대한 의미, 엄마만의 힐링 이야기를 담고 있다.

아들맘의 즐거운 가족생활 이야기를 재밌게 공감해 주시는 분들. 생활에 바빠 피드를 가끔 올리게 되면 재밌는 가족 이야기 궁금했었다고 기다려 주시는 분들도 있다.

처음 인스타를 시작할 때 주제를 뭐로 할지 생각하다가, 마침 여기저기 아무 곳에나 저장 되어있는 우리 가족의 사진들을 영상으로 정리하고 싶었던 차에,

내가 지금 제일 집중하고 있는 가족에 관한 생각들을 기록하고 나누고 싶어서 가족을 주제로 하게 되었다.

세 남자와 살면서 내가 이해할 수 없는 그들끼리의 소통이 웃길 때도 있고, 때론 소통이 안 돼 속이 터질 것 같을 때도 있었고, 엄마의 마음을 이해 못 하는 세 남자 때문에 외로울 때도 있었다.

가만히 앉아서 우리 가족의 모습을 그려 보니, 한 사람 한 사람 웃는 모습이 먼저 떠올랐다. 그리고 세 남자끼리 낄낄거리며 웃는 상황도 떠올랐다.

엄마를 대장처럼 모시는 것 같지만 실제로는 그들 맘대로 사는 재밌는 일상도 고발하고 싶은 웃긴 생각도 해보았다.

이렇게 가족을 생각하다 우연히 떠오른 '케미가족'으로 이름을 붙였는데, 이 이름이 즐거운 가족의 문화를 더 강화한 심리적 효과가 있었다.

이름은 이름대로 이미지를 떠올리게 해서 중요한 것 같다. '케미가족'이라는 이름을 붙이니, 아무도 정의 내려주지 않고 강요하지 않았는데도, 가족 모두 함께 정말로 즐거운 가족생활을 하고 싶은 마음은 더 커졌던 것 같다. 나 역시 '우리는 케미가족 이니까' 하는 마음은 생각만 해도 기분이 좋아졌다.

내 가족의 이름을 만드는 것은 참 좋다. 더 친근하게 되고 결속하게 된다. 그리고 이름에 맞는 가족문화가 만들어져서 가족 간에 공감하고 공유하는 것이 더 많아진다.

추억의 기록은 더 큰 사랑을 만든다.

인스타에 가족의 추억을 사진과 영상으로 내용을 담아 기록해 놓으니, 가족 누구나 아무 때나 나의 인스타에 들어와서 함께 꺼내보고 웃는다.

사진이나 영상은 의미를 담아 잘 남겨놓으면, 그때의 실제 상황보다 더 멋있고 재밌는 추억으로 기억할 수 있다. 잊힐 수 있는 멋진 순간들을 두고두고 남길 뿐만 아니라, 그냥 보통의 일상도 특별한 일상이 돼 버린다.

소소한 행복이 특별한 행복이 되고, 소소한 사랑의 표현이 가장 큰 사랑이라는 걸 알게 된다. 여기저기 아무 데나 저장된 가족사진들을 한곳에 모아 기록으로 남겨놓으면 가족의 역사가 된다.

유머와 웃음으로 가족 경영하기

'엄마의 유머가 아이의 인생을 바꾼다.' -김진배-
라는 책이 있다. 내가 처음 읽은 육아서적이었다.

20년이 지났어도 이 책의 주제와 내용은 오랫동안
공감이 가는 책으로 기억되어 있다. 책 정리를 하다
가 어쩌다 이 책을 분실하게 되었는데, 지금은 절판
되어 나오지 않는 책을 중고로 사서 다시 쟁여 놓았
다.

이 책은 20여 년 전에 발행되었는데, 기계가 인간
을 대체할 미래 사회에 우리 아이들을 어떻게 키워야
할 것인가라는 화두를 시작으로 그 답은 '사교성', '창
의력'이라고 강조했다.

그 두 가지를 키울 방법이 '유머'라고 하며, 유머형 엄마가 되기 위한 여러 방법을 제시하고 있다.

나는 정말 재미없는 사람이어서 유머 있는 말을 잘 하지 못하지만, 작은 것에도 잘 반응하며 크게 웃어주는 건 잘할 수 있었다. 웃으면 즐거워지고, 즐거우면 유머도 더 생기는 것 같았다. 특히 일상을 함께하는 가족은 우리끼리만 아는 일상과 의미가 있어서, 남과 대화할 때 하는 유머와는 다르게 웃음 포인트가 훨씬 많다.

유머의 소재는 사소한 생활 습관에서 재미를 붙이기도 하고, 각자의 말 습관 때문에 웃을 수 있는 유머도 있다. 가족끼리 함께 했던 추억이나, 엄마 아빠의 연애 시절에 헤어질 뻔했던 오래된 재밌는 추억거리도 소재가 될 수 있다.

큰아들의 휴대폰에는 엄마를 '여고생'으로 저장해 놓았다고 한다.

"엄마, 엄마가 전화하면 친구들이 여고생이 누구냐고 묻는다^^" 하며 얘기를 해서 알게 되었다.

가족끼리 대화 중에, 어렸을 적에 엄마가 "아들 뽀뽀~" 하면서 너무 사랑 표현을 강요해서 창피한 적이 있었다며, 아들 둘이 엄마를 놀려댄 적이 있었다. 그때 큰아들의 "엄마는 본인이 여고생인 줄 알아~" 한 마디에 다 같이 빵 터진 적이 있었는데, 그때부터 엄마를 '여고생'으로 저장해 놓았다고 한다.

가족이 함께하는 시간을 되도록 많이 가져서 사소한 추억이라도 많이 만드는 게 좋다. 공유하는 추억이 많아지면 함께 얘깃거리도 많아진다. 특별한 이벤트도 좋지만, 일상에서 함께할 수 있는 가족 식사, 간식 먹기, 함께 청소하기, 산책하기 등을 챙겨보는 시간이 좋은 것 같다.

많이 웃으면 긍정적인 생각이 많아진다. 뭐든 잘될 수 있을 것이라는 의지도 생기고, 우울한 상황에서도 잘 이겨낼 수 있다는 느낌이 생긴다.

거창하게 훌륭한 사람이 아니더라고, 일상을 행복하게 살 수 있는 마음바탕을 만들 수 있지 않을까.

우리끼리만 아는 가족문화

분위기상 암묵적인 가족 약속이 있다.

가족이 함께하는 식사 자리에서는 되도록 휴대폰을 보지 않는다. 크면서 조금씩 휴대폰을 내려놓기 쉽지 않지만, 서로 눈치를 주는 것에 밀려 결국 덮고 만다.

되도록 친구 약속보다 가족이 함께하는 시간을 우선으로 여긴다.

먹는 것을 무지 좋아하지만, 맛있는 음식이 있으면 다른 가족을 위해 남겨놓는다. 심지어 남겨놓지 않은 사실을 알게 되면 무지 서운해한다.

엄마로서 가장 고마운 것은 내가 바쁘거나 피곤해

밥을 제때 못 해주면, 남자들끼리 알아서 조용히 챙겨 먹는 것이다. 내가 뭔가에 집중하고 있으면 엄마가 하는 일에 말없이 응원해 주며 엄마가 집중할 수 있도록 도와주는 마음이 참 고마울 때가 많다.

보상과 처벌을 기준으로 약속을 정하는 것도 있다.

어느 날 아들에게 너 이러이러한 약속 했었는데 왜 자꾸 안 지키는 거야! 라고 했더니,

"몰라~ 약속이 너무 많아서 약속을 잊어버렸어~" 하며 볼멘소리해서 엄청나게 웃어버린 적이 있다.

아들을 키울 때는 약속으로 정해야 할 게 많다. 약속해야 기억하고, 보상을 해주어야 약속을 지킬 동기도 생기고, 약속을 어긴 대가를 치러야 약속의 중요성을 안다고 생각한다.

휴대폰의 반납 시간, 휴대폰 없는 날을 정하고 나서야 휴대폰을 사주거나, 새 자전거를 너무 갖고 싶

다고 조르는 아들에게 자전거를 사줄 테니 매주 주말마다 엄마랑 산에 가자는 약속을 하기도 했다.

공짜 용돈은 없으니, 방 청소를 안 한다거나 우리 집 남자들이 맡은 재활용을 안 할 때는 다음 주 용돈은 안 주겠다고 미리 약속을 정하기도 했다.

이런 약속은 아들과 동의가 이루어져야 하고, 아들을 조종하기 위한 용도로 사용해서는 안 된다. 좋은 습관을 만드는 과정이라는 것이 아들과 동의가 되어야 한다. 협박하듯 하는 일방적인 약속은 오히려 반감을 일으킨다.

그러나 엄마 그림대로 약속한다고 약속이 원활히 잘 지켜지는 건 아니다.

엄마가 너무 경직되게 약속의 시행을 강요하면 오히려 약속 때문에 다툼이 잦아질 수 있다. 상황에 따라 유연하게 할 필요가 있다.

아이들은 그때그때의 기분에 따라서 약속된 대로 하고 싶지 않을 수도 있다. 마음이 좋지 않아서 일 수도 있고, 몸이 안 좋을 때도 있다. 상황상 약속을 지키지 못할 수도 있다.

핑계 삼아 약속을 자주 안 지키거나, 중요하게 가르쳐줘야 할 일이 아니면, 약속을 지키지 못하는 상황을 살피고 조금 여유를 주는 것도 아들을 존중하는 방법이기도 하다.

생기있는 엄마가 되자

즉문즉설로 유명한 법륜스님의 강의 중에 '집중'과 '집착'의 차이를 들은 적이 있다. 남녀관계를 설명하시면서 한 말씀이지만, 자식을 키우면서도 내가 아들에게 '집착'하고 있는지 '집중'하고 있는지를 살펴볼 필요가 있다.

'집착'은, 상대방의 마음은 이미 떠나 관계 개선의 여지가 없는데, 억지로 관계 개선을 하려고 노력한다면 집착이 되고, '집중'은 상대방에게 내가 관심이 생겨서 상대방의 마음을 얻고 싶을 때, 그 사람의 관심사가 뭔지, 함께 관심사를 같이 갖기 위해서 여러 가지 연구를 하면 그것은 집중이라고 한다.

내가 아들에게 지나친 간섭을 하면서 '집착'하고 있는지, 아들의 관심사를 연구해서 함께 공유하고 나누고 있는지. 무엇이 더 먼저이고 더 중요한지 늘 점검해 보는 것이 좋다.

이런 글을 쓰고 있는 나도 간섭이 일상화된 것은 사실이다. 나도 나를 자꾸 점검하고, 실수에 미안하다고 사과하고, 아들에게 바라는 바를 솔직하게 말해서 풀면서 나의 '집착'을 계속 '집중'으로 수정해 나가고 있는 과정에 있다.

나는 '집착'을 내려놓기 위해, 나 자신에게 '집중'하기로 했다. 아들만 바라보는 '집착'은 서로가 힘들 뿐이다. 많은 자녀 교육의 충고 중에 때가 되면 아들과 거리를 두고 바라보라고 한다. 엄마의 성장에 '집중'하면서 아들을 바라보면 여유가 생긴다. 일단 모든 걸 다 신경 쓸 체력이 안 된다.^^.

혼자만의 힐링 취미도 갖고, 나를 기쁘게 하는 것

들을 리스트로 만들어서 해보면서 나를 위로하는 시간도 갖는다.

내가 세상의 변화에 관심을 두기 시작하면서 디지털 공부도 하고, 인스타를 시작하니 아들이 인스타하는 엄마가 멋있다고 얘기한 적이 있다. 때론 엄마가 먼저 변화는 세상을 먼저 배우고 아들과 대화하니, 서로 아이디어도 얻고 대화도 풍성해진다.

배울 게 너무 많고, 배울 수 있는 채널도 너무 다양해졌기 때문에 그동안 관심은 있었으나 차마 못 해본 것들을 시도해 볼 수 있는 기회도 너무 많아졌다.

생각이 폭을 넓히고 자꾸 작은 도전을 해보면 삶에 생기가 돌고, 자신감도 생긴다. 그러면 가족이 함께 기뻐할 일도 많아진다.

엄마가 행복해야 가족이 행복하고 엄마가 생기 있으면 아이들의 표정이 달라진다는 걸 명심해서, 엄마의 마음 보살핌에 더 집중하는 것이 중요하다고 생각한다.

글을 마치며

엄마들에게 보내는 못다한 이야기

가족의 환경도, 문화도, 구성원의 성격도 달라서 가족마다 다른 특성이 있습니다. 나의 가족처럼 시끄러운 가족도 있고, 조용한 가족도 있습니다. 가족 관계에서 발생하는 문제도 저마다 달라서, 나의 가족 이야기에 공감하지 못하는 부분도 있을 겁니다.

하지만 엄마의 자녀에 대한 마음은 다 같습니다. 끝도 없는 걱정이고 오직 자녀가 잘 되길 바라는 기도하는 마음뿐입니다.

어릴 때는 다칠까 걱정이고, 커가면서는 마음에 상처받을까 걱정이고, 독립해서는 어떻게 세상을 잘 헤쳐 나갈지 걱정입니다. 그런 걱정으로 엄마의 마음을 자녀에게 잘 표현하고 싶은데, 쉽지 않습니다.

내 맘을 몰라주는 자녀가 야속하기도 하고, 어떻게 관계 개선을 해야 할지 고민이 될 때가 많습니다.

아들맘은 특히 여자인 엄마와는 전혀 다른 아들의 사고방식 때문에, 혼란을 겪을 때가 많습니다. 이해할 수 없는 아집, 야무지지 못한 행동 등. 불안한 마음에 다그치기도 하다가 참다못한 아들과 격돌이 벌어지기도 합니다.

저도 너무 화가 나고 답답해서, 못 먹는 술을 막 퍼마시고 울고 원통해 한 적도 있습니다. 집에 40도가 넘는 술이 있어서 먹어버리고 세 남자를 깜짝 놀라게 긴장시킨 사건이 있었는데, 몸만 상하고 회복하는데 너무 힘들었답니다. 그런다고 내 맘처럼 문제가 해결되지도 않았습니다.

어느 종교에서는 다 내 탓이요, 내 탓이오 라고 하라 하고, 책에서는 내려놓음을 배우하고 하지만, 참고 인내만 한다고 해결될 일은 아닌 것 같습니다.

'말 안 해도 나중에 경험해 보면 다 알겠지. 나중엔 그래도 부모 마음을 알아주겠지.' 하며 해결되지 않은 마음으로 시간이 지나다 보면, 서로 마음에 상처만 남긴 채로 관계가 소원해질 수 있거나, 그렇지 않더라도 마음 한구석에 불편한 감정이 남습니다. 또 불편하고 무뚝뚝한 가족 분위기가 될 수도 있습니다.

내가 관계를 개선하기 위해 여러 가지로 시도해 본 결론은 일단, 엄마가 아들을 이기려고 하는 마음을 접어 두는 것, 사건 발단의 원인 제공을 내가 먼저 한 것 같다는 판단이 들면, 내 감정이 상했어도 빨리 구체적으로 사과하고, 아들의 기분에 공감해 주는 게 먼저. 그러고 나서 아들의 무례한 표현에 대한 사과를 받는 순서가 제일 현명했던 것 같습니다.

　아들은 알면서도 아집을 부리고 인정하지 않으려고 어깃장을 놓을 때도 있습니다. 그땐 정말 어렵더라도 한 템포 꾹 참고 쉽니다. 나가서 잠깐 바람을 쐬고 와도 괜찮습니다. 감정을 다스릴 시간이 지나고 나서 아들과 조용한 목소리로 대화해 보는 겁니다.

　대화하기 싫다고 하면, 한번은 억지로 대화하려고 하지 않아도 됩니다. 그러나 다음엔 꼭 대화를 시도해서 감정을 해결하는 게 좋습니다. 아들은 속으론 본인이 아집을 부린 것도 어깃장을 놓은 것도 다 압니다.

　단지 엄마가 제기한 문제에 마음이 불편할 수 있고, 강요당하는 게 싫을 수도 있습니다, 본인만이 아는 이유를 대화로 풀 수 있도록 도와야 합니다.

요약하면, 감정싸움이 깊게 번지기 전에 상황의 본질을 빨리 해결하고, 감정을 솔직하게 표현하고 공감해 주는 대화를 연습해야 합니다. 서로 연습이 많이 되면, 감정의 줄다리기 없이 빨리 해결할 수 있습니다. 심지어는 다투다가도 웃어버리고 끝나기도 합니다.

아이들에게 좋은 기회를 하나 알려드리려고 합니다.

아무리 대화가 잘 통하는 엄마라고 해도 아들의 마음을 다 알지는 못합니다. 아들이 엄마에게 차마 하지 못하는 이야기도 있고, 뭔가 불편한 마음은 있는데 본인도 모르거나 표현할 수 없는 마음 상태일 수 있습니다. 엄마가 알아도 엄마의 도움보다 마음을 열 수 있는 다른 사람이 더 편하게 도움이 될 수도 있습니다.

그래서 저는 청소년상담실에서 아들이 상담받을 수 있도록 했습니다. 청소년상담실은 지역마다 있고, 심리검사, 상담 모두 무료이며 엄마의 심리검사도 해

줍니다.

저는 아들이 7살 때 초등학교 들어가기 전, 중학교 3학년 때 고등학교 들어가기 전에 혹시나 모를 불안감을 해소하고, 새로운 환경에 용기를 갖고 잘 적응할 수 있는 마음의 힘을 가졌으면 좋겠다 싶은 생각에 일정 시기를 정해 상담을 받게 했습니다.

아이들에게 무슨 문제가 있어야 상담을 받는 건 아닙니다. 특히 아이들이 어릴 때는 놀이치료를 하는데 아이들이 한껏 상담 선생님과 놀면서 부모는 미처 몰라서 해줄 수 없는 뭔가가 있는지, 상담실 가는 날을 늘 체크할 정도로 정말 재미있어했습니다. 엄마가 몰라서 잘 못하는 부분들도 상담 선생님의 코칭으로 정말 도움이 많이 되었습니다.

아들이 중학생 때도 상담 선생님의 격려와 지지에 많이 힘을 얻고 좋은 경험이라고 좋아했습니다.

특별한 문제가 있으면 전문가의 상담을 꼭 받은 게 필요하지만, 특별한 문제가 없어도 일정 시기에 아이들이 상담을 받아보는 걸 적극 추천합니다.

무료로 이용할 수 있는 청소년상담소가 전국에 지역마다 있는데, 사람들이 상담실을 이용하는 것을 꺼리거나 잘 모르는 것 같다고 상담 선생님이 안타까워하실 정도로 아직 상담과 그 중요성에 대한 인식이 매우 부족한 것 같습니다. 몸이 건강할 때도 건강관리도 하고 건강검진도 받듯이 마음 건강을 관리한다 생각하고 이용해 보시면 좋을 것 같습니다.

우리가 가정사를 남에게 말하기는 쉽지 않습니다. 특히 자식과의 문제를 드러내고 얘기하는 걸 더 금기시하게 되죠. 그냥 잠깐씩 속상한 한숨만 들춰 보이는 걸로 서로 공감하고 있는 것만 느낍니다.

부끄럽지만 나의 솔직한 이야기를 먼저 담아 보았습니다. 나의 솔직한 이야기가 많은 분에게 공감이 되고 아들맘의 마음 문제 해결에 좋은 재료가 되었으면 합니다.